Jak dogonić Geparda

Keeping Up With Cheetah

Written by Lindsay Camp
Illustrated by Jill Newton

Polish translation by
Jolanta Starek-Corile

Mantra Lingua

Gepard i Hipopotam uwielbiali opowiadać dowcipy. Tak naprawdę, to Gepard je opowiadał, a Hipopotam słuchał i głośno się z nich śmiał. Dowcipy Geparda nie były śmieszne, lecz mimo to Hipopotam lubił ich słuchać. I właśnie dlatego byli tak dobrymi przyjaciółmi.

Cheetah and Hippopotamus loved telling jokes. Actually, Cheetah told the jokes. Hippopotamus just listened and laughed – a deep, bellowy laugh. The jokes weren't very funny, but Hippopotamus thought they were. And that's why they were such good friends.

Było jednak coś, co denerwowało Geparda
– Hipopotam nie potrafił szybko biegać.

But one thing about Hippopotamus
annoyed Cheetah – Hippopotamus
couldn't run very fast.

– Pospiesz się, Hipopotamie – z niecierpliwością
wołał Gepard. – Jeśli mnie nie dogonisz,
nie usłyszysz mojego nowego dowcipu.

"Come on Hippopotamus," Cheetah would
shout impatiently. "If you can't keep up
with me, you won't hear my new joke."

Ale na nic się to nie zdało. Hipopotam nie potrafił biegać tak szybko jak Gepard. Więc Gepard zaprzyjaźnił się ze Strusiem. Hipopotamowi chciało się płakać, ale mimo to zaczął ćwiczyć bieganie, aż zabrakło mu tchu i musiał się położyć.

But it was no good. Hippopotamus couldn't run as fast as Cheetah. So Cheetah made friends with Ostrich instead. Hippopotamus felt like crying. But, instead, he practised running until he was so out of breath that he had to lie down.

Wiedział, że nie będzie
w stanie dogonić Geparda.

And he knew he still couldn't
keep up with Cheetah.

Ale za to Struś potrafił to zrobić – to znaczy prawie zawsze mu się to udawało.
Gepard był z siebie dumny, że znalazł tak dobrego, nowego przyjaciela.
– Strusiu, czy posłuchasz mojego nowego dowcipu? – zapytał.

Ostrich could – very nearly, anyway. Cheetah thought how
clever he was to have made such a good new friend.
"Would you like to hear my new joke, Ostrich?" he asked.

– Nie, dziękuję – odpowiedział Struś.
– Nie lubię żartów. Pobiegajmy jeszcze trochę.

"No thank you," said Ostrich. "I don't like jokes. Let's run some more."

Gepard miał już dość biegania jak na jeden dzień. Chciał opowiadać dowcipy. Zaprzyjaźnił się więc z Żyrafą. Hipopotam postanowił teraz, że będzie biegał tak szybko jak Gepard.

Cheetah had run enough for one day. He wanted to tell jokes. So he made friends with Giraffe instead. Now Hippopotamus was even more determined to run as fast as Cheetah.

Po kryjomu obserwował, jak Żyrafa z Gepardem razem
biegali galopem. Długie nogi Żyrafy leciały do przodu,
a Gepard chlastał ogonem raz w jedną raz w drugą stronę,
aby utrzymać równowagę.

So he hid and watched as Giraffe and Cheetah galloped by.
Giraffe's long legs flew out in front and Cheetah lashed
his tail from side to side to keep his balance.

Hipopotam zdecydował, że zrobi to samo.
Nie było to jednak takie łatwe.

Then Hippopotamus tried to do the same.
It wasn't easy.

Hipopotam upadł na ziemię z wielkim HUKIEM!
Sporo czasu upłynie, zanim będzie biegał
tak szybko jak Gepard.

Hippopotamus fell down with a CRASH!
It would be a long time before he could
keep up with Cheetah.

Ale Żyrafa potrafiła to zrobić
– to znaczy prawie zawsze jej
się to udawało.

Giraffe could – very
nearly, anyway.

– Żyrafo, opowiedzieć ci mój nowy dowcip? – zapytał Gepard.

– Słucham? – odrzekła Żyrafa. – Słabo cię stąd słyszę.

– Po co mi przyjaciel, który nie chce słuchać moich dowcipów? – rozzłościł się Gepard.

"Would you like to hear my new joke, Giraffe?" Cheetah asked.
"Pardon?" said Giraffe. "I can't hear you from up here."
"What's the good of a friend who doesn't even listen
to your jokes?" thought Cheetah crossly.

I dlatego Gepard zaprzyjaźnił się z Hieną.
Kiedy Hipopotam to zobaczył, poczuł, że robi mu się
gorąco i bardzo się tym przejął. Tylko jedna rzecz
mogła polepszyć jego samopoczucie.

And he made friends with Hyena instead.
When Hippopotamus saw this, he felt hot and bothered.
There was only one thing that would make him feel better.

Długi wypoczynek w błotnistym bajorze.
Hipopotam uwielbiał pławić się w błocie. Im głębiej w nim się
zanurzał, tym bardziej go to bawiło. Lecz od dłuższego czasu nie
wylegiwał się w błocie, bo Gepard twierdził, że to zbyt brudne.

A good, long, deep, muddy wallow.
Hippopotamus loved wallowing. The deeper, the muddier, the more
he enjoyed it. But he hadn't had a wallow for a long time, because
Cheetah said it was dirty.

„No cóż" – pomyślał Hipopotam. „Teraz mogę robić to, na co mam ochotę". I z wielkim pluskiem skoczył do rzeki. Hipopotam poczuł się wspaniale.

"Well," thought Hippopotamus, "I can do what I like."
And he dived into the river – SPLOOSH!
It felt wonderful.

Gdy tak się wylegiwał, doszedł do wniosku, że głupio się zachował. Nie potrafił szybko biegać, ale umiał pławić się w błocie. I mimo iż było mu smutno, że stracił przyjaciela, wiedział, że nigdy nie uda mu się dogonić Geparda.

As he lay there, he thought how silly he'd been. He couldn't run fast, but he could wallow. And although he was sad to lose a friend, he knew that hc would never be able to keep up with Cheetah.

Ale za to Hiena potrafiła to zrobić – to znaczy prawie zawsze jej się to udawało.
Gepard był z tego bardzo zadowolony. – Puk, puk – powiedział Gepard.
– Cha, cha, chi, chi! – odrzekła Hiena.

Hyena could – very nearly, anyway. Cheetah was very pleased.
"Knock knock," said Cheetah.
"Ha-hee-he-heeee!" said Hyena.

– Mówi się „Kto tam?" – opryskliwie burknął Gepard. – Po co mam ci opowiadać nowy dowcip, jeśli śmiejesz się z niego, zanim dojdę do zabawnej części?
– CHA, CHA, CHI, CHI, CHI! – krzyczała Hiena.

"You're supposed to say, 'Who's there?' " snapped Cheetah. "What's the point of telling my new joke, if you laugh before I get to the funny bit?"
"HAH-EH-HEH-HEE-HEE!" screamed Hyena.

Wtedy Gepard uświadomił sobie, że potrzebuje innego przyjaciela. Sam potrafił szybko biegać, ale opowiadanie dowcipów miało sens tylko wtedy, gdy ktoś ich słuchał – i śmiał się w najzabawniejszych momentach. Gdzie mógł znaleźć takiego przyjaciela?

Then Cheetah realised that what he really needed was a different sort of friend. He could run by himself, but telling jokes was only fun if someone listened – and only laughed at the funny bits. Where could he find a friend like that?

Ale przecież Gepard już go miał! Pobiegł więc w kierunku rozłożystego drzewa, ale nie odnalazł tam Hipopotama. Gdy Gepard szedł wolnym krokiem, doszedł do wniosku, że głupio postąpił i stracił dobrego przyjaciela.

He already had one! Cheetah ran to the shady tree but Hippopotamus wasn't there. As Cheetah walked slowly away, he thought how silly he had been to lose such a good friend.

Nagle od strony rzeki ujrzał
parę przyglądających mu się oczu.

Suddenly he saw a pair of eyes
watching him from the river.

– Puk, puk – powiedział Gepard.
– Kto tam? – zapytał Hipopotam.
– To ja! – z radością odpowiedział Gepard.
I Hipopotam śmiał się z całego serca.

"Knock knock," said Cheetah.
"Who's there?" said Hippopotamus.
"H-eetah, of course!" said Cheetah.
And Hippopotamus laughed
and laughed.

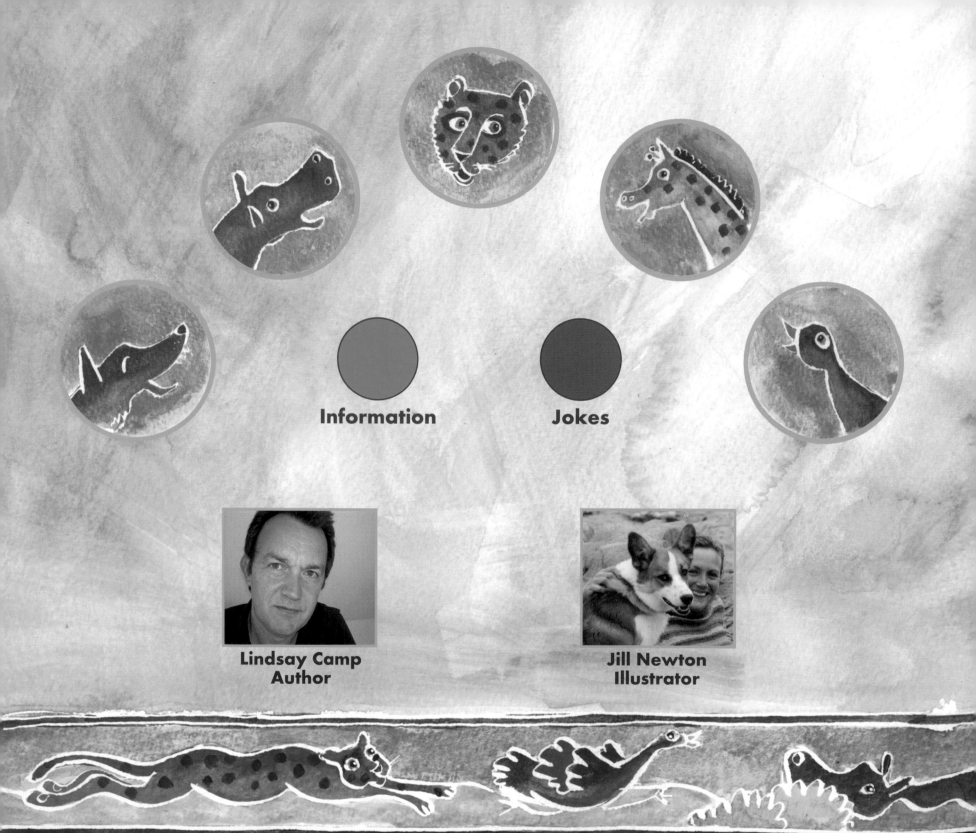

Information

Jokes

Lindsay Camp
Author

Jill Newton
Illustrator

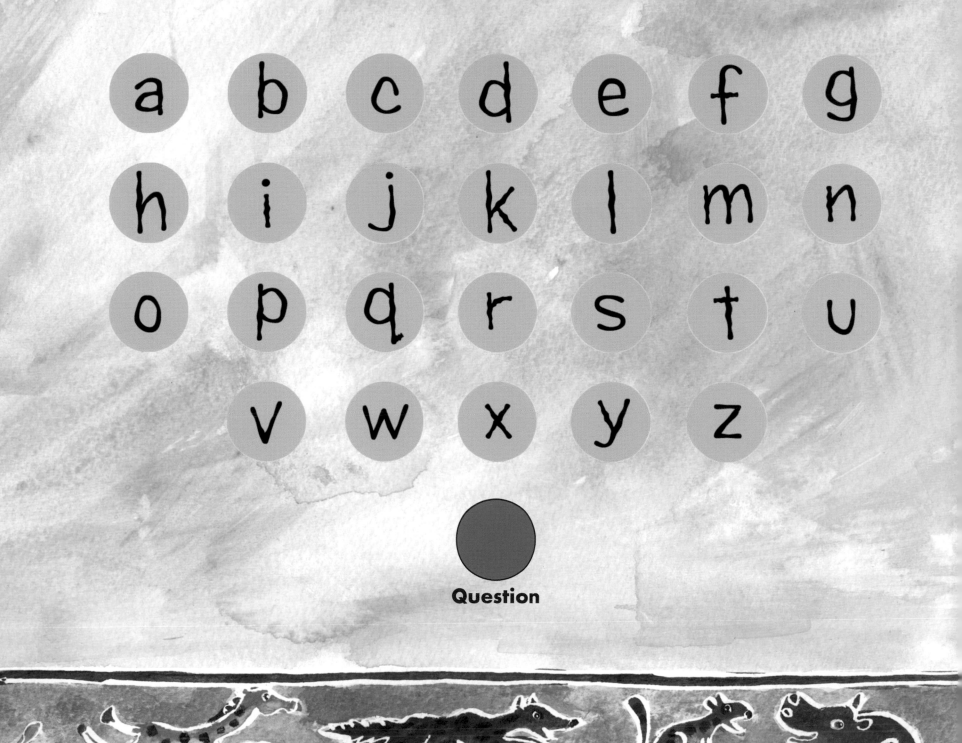

Question

? **a** **b** **c**

? **a** **b** **c**

? **a** **b** **c**

? **a** **b** **c**

? **a** **b** **c**

? **a** **b** **c**